¡ME SIENTO DEBILUCHO, PANORÁMIX!

OBÉLIX, ¡NO! ... ¡NO TE DARÉ POCIÓN MÁGICA! ¡TE HE DICHO MIL VECES QUE TE CAÍSTE DENTRO CUANDO ERAS PEQUEÑO!

www.asterix.com

Título original: ASTÉRIX CHEZ LES HELVÈTES
Traducción: Víctor Mora

Publicado en 2005 por
Grupo Editorial Bruño, S. L.
Juan Ignacio Luca de Tena, 15
28027 Madrid
www.brunolibros.es

Depósito legal: NA-2174-2011
ISBN: 978-84-345-6734-4

Impresión: Gráficas Estella, S. L.
Printed in Spain-Impreso en España

GOSCINNY Y UDERZO
PRESENTAN
UNA AVENTURA DE ASTÉRIX

ASTÉRIX EN HELVECIA

Guión de **René GOSCINNY** Dibujos de **Albert UDERZO**

SALVAT

*BOVIDO SALVAJE MAYOR QUE EL TORO.

¡AVE, CAYO EUCALIPTUS! ¿HA SIDO BUENA LA COSECHA?
¡MUY BUENA, OH, OJOALVIRUS! ¡AQUI TIENES EL ORO DE LOS IMPUESTOS, DE LAS MULTAS, DEL ESTACIONAMIENTO CONTROLADO, DEL PEAJE, DE LAS VIAS ROMANAS, Y DEL "PLUS" POR TENER DERECHO A ESCUCHAR LOS PREGONEROS PUBLICOS!

¡PERFECTO! VAMOS A REPARTIR...

ESTO, PARA TI...

ESTO, PARA MI...

...Y ESTO, PARA ROMA.
4A

¿NO CREES QUE EXAGERAS UN POCO? ROMA ACABARA POR EXTRAÑARSE DE RECIBIR TAN POCOS IMPUESTOS DE TU PROVINCIA.
SCHLINK!
SCHLONK!
SCHLANK!
SPQR

¡ME HAN NOMBRADO POR UN AÑO! ¡DISPONGO DE UN AÑO PARA HACERME RICO! ¡ANTES DE QUE ROMA REACCIONE, YA ESTARE LEJOS! ¡LEJOS Y FORRADO!

MI VIDA SERA UN LARGO Y CONTINUADO BANQUETE.
SI, PERO, ¿QUE OCURRIRA SI ROMA NOS ENVIA UN INSPECTOR, UN CUESTOR?

¡POR JUNO! ¡SABRE OCUPARME DE EL! ¡LE CONVERTIRE PRONTO EN ALGUIEN ACTIVO, O ME LO SACARE DE ENCIMA!

HALA, VAMOS, BASTA DE TRABAJO... ¿TE GUSTAN LAS TRIPAS DE JABALI FRITAS EN GRASA DE URO?

¿CON MIEL?
4B

BETIX
¡SOIS UNOS INEPTOS! ¡LOS DOS! ¡NO QUIERO VEROS MAS!

¡HOLA! PERO SI SON LOS PORTADORES DE ABRARACURCIX, NUESTRO JEFE.
SI, NOS HA DESPEDIDO. Y ESO QUE ESTA MAÑANA ESTABA DE BUEN HUMOR. INCLUSO HA HECHO NOTAR QUE HACIA BUEN TIEMPO.
Y ENTONCES, NOSOTROS NOS HEMOS INCLINADO UN POCO HACIA ATRAS, PARA CONTEMPLAR EL CIELO.

...Y CUANDO NOS HEMOS VUELTO A ALZAR, EL JEFE YA NO ESTABA SOBRE EL ESCUDO.
¡HACE MAL EN DISGUSTAR A LA BASE QUE LE SOSTIENE!

¡ASTERIX, OBELIX! HE DECIDIDO HONRAROS NOMBRANDOOS PORTADORES DEL JEFE.
¿NOSOTROS?

PERO, ABRARACURCIX, JEFE...
¡NADA DE DISCUTIR! ¡AL TRABAJO!

¡JI, JI, JI! ¡MEJOR SERIA QUE CAMINARAIS POR LA LADERA DE UN MONTE!

¡OBELIX DEBERIA ANDAR DE RODILLAS!
¡EN TODO CASO, PARECE QUE EL JEFE SE INCLINA SOBRE NUESTROS PROBLEMAS!

DEJADME EN EL SUELO, HIJOS MIOS. TENGO LA IMPRESION DE QUE SE BURLAN DE NOSOTROS.
SERA MEJOR QUE OBELIX TE LLEVE EL SOLO, OH, JEFE.
24

¿SOLO? UN JEFE TIENE DERECHO A QUE LE LLEVEN DOS GUERREROS... TENDRIA LA IMPRESION DE NO SER MAS QUE LA QUINTA PARTE DE UN JEFE, SI...
Y YO, ADEMAS, TENGO QUE IR A PULIR MENHIRES.

¡POR TUTATIS! ¿REHUSAS SERVIRME?

POCO DESPUES...
PERO... ¿QUE HACE OBELIX?
¿ACASO NO LO VES? ¡ESTA SIRVIENDO UN "QUINTO"!
25

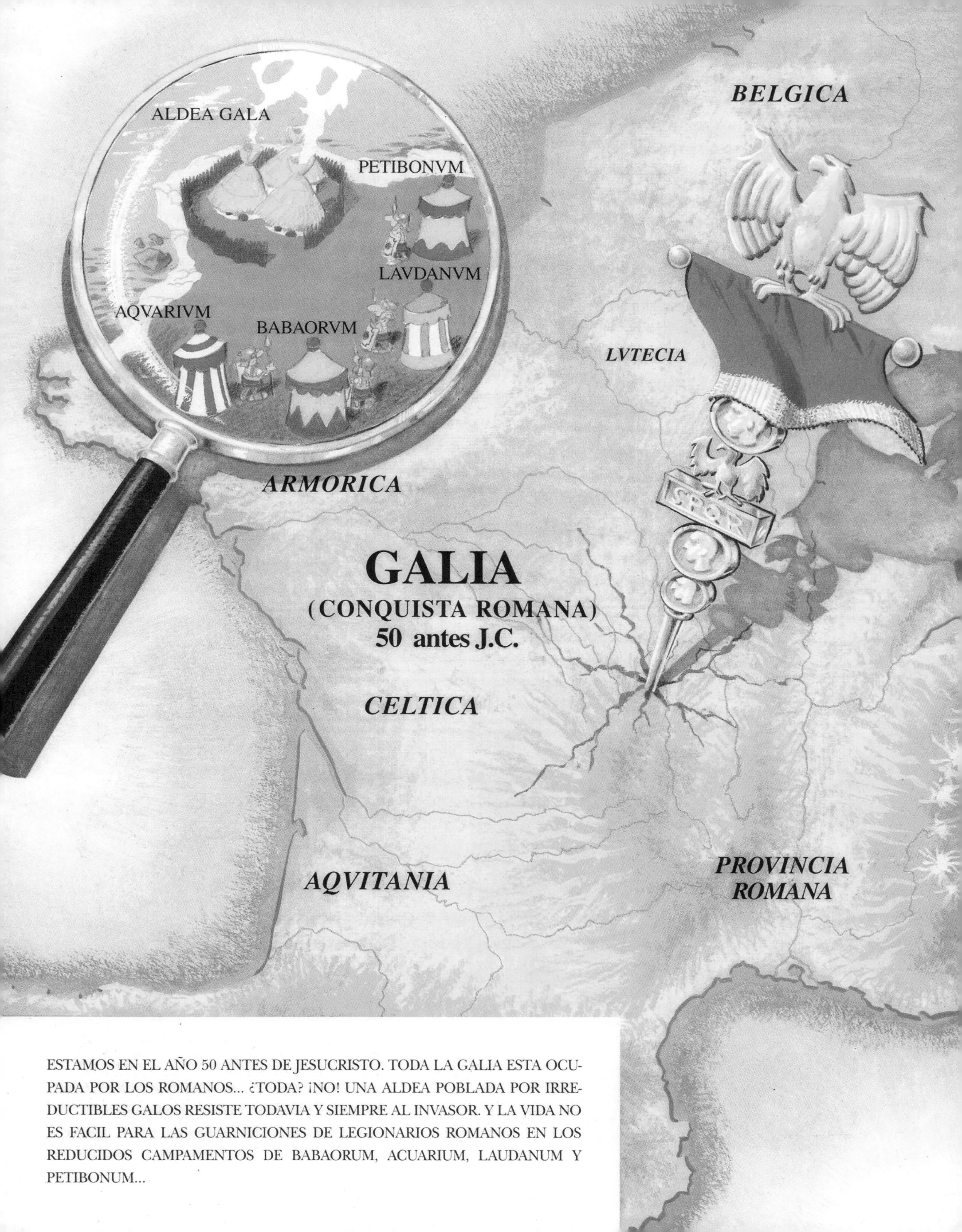

ESTAMOS EN EL AÑO 50 ANTES DE JESUCRISTO. TODA LA GALIA ESTA OCUPADA POR LOS ROMANOS... ¿TODA? ¡NO! UNA ALDEA POBLADA POR IRREDUCTIBLES GALOS RESISTE TODAVIA Y SIEMPRE AL INVASOR. Y LA VIDA NO ES FACIL PARA LAS GUARNICIONES DE LEGIONARIOS ROMANOS EN LOS REDUCIDOS CAMPAMENTOS DE BABAORUM, ACUARIUM, LAUDANUM Y PETIBONUM...

ASTERIX, EL HEROE DE ESTAS AVENTURAS. UN PEQUEÑO GUERRERO, CON EL ESPIRITU ASTUTO Y LA INTELIGENCIA VIVA. LAS MISIONES PELIGROSAS LE SON CONFIADAS SIN TITUBEOS. RECIBE SU FUERZA SOBREHUMANA DE LA POCION MAGICA.

OBELIX, EL AMIGO INSEPARABLE DE ASTERIX. DE OFICIO REPARTIDOR DE MENHIRES, GRAN AMANTE DE LOS JABALIES Y DE LAS BUENAS PELEAS, OBELIX SIEMPRE ESTA DISPUESTO A ABANDONARLO TODO PARA SEGUIR A ASTERIX EN UNA NUEVA AVENTURA. LE ACOMPAÑA IDEFIX, EL UNICO PERRO ECOLOGISTA CONOCIDO, QUE AULLA DE PENA CUANDO CORTAN UN ARBOL.

PANORAMIX, EL VENERABLE DRUIDA DE LA ALDEA, RECOGE HIERBAS Y PREPARA POCIONES MAGICAS. SU MAYOR TRIUNFO ES EL BREBAJE QUE DA FUERZA SOBREHUMANA AL CONSUMIDOR. PERO PANORAMIX TIENE MUCHAS OTRAS RECETAS EN RESERVA...

ASURANCETURIX ES EL BARDO. LAS OPINIONES SOBRE SU TALENTO ESTAN DIVIDIDAS: EL OPINA QUE ES GENIAL; LOS DEMAS PIENSAN QUE ES UN PELMAZO. DE TODOS MODOS, CUANDO NO DICE NADA ES UN ALEGRE COMPAÑERO...

ABRARACURCIX, EL JEFE DE LA TRIBU, MAJESTUOSO Y VALIENTE, AUNQUE ALGO SUPERSTICIOSO. ES RESPETADO POR SUS HOMBRES, Y TEMIDO POR SUS ENEMIGOS. NO LE TEME MAS QUE A UNA COSA: QUE EL CIELO LE CAIGA SOBRE LA CABEZA, PERO, COMO EL DICE, "ESO NO VA A PASAR MAÑANA..."

¡HIPS!
¡SACA LA CABEZA DE ESTE ANFORA!
YO...GLU,GLU... NO PUEDO...
¡CERRAD ESA VENTANA! ¡HAY CORRIENTE!

¡NO SE PASA!
NO DIGAS TONTERIAS. ANUNCIAME A TU AMO.

¡ZIM!
¡BUM!
¡ZIM!

EL... ¡EL CUESTOR CLAUDIUS SINUSITUS!

¡QUE...QUE AGRADABLE SORPRESA!

¡AVE, AVE, CUESTOR! NOS SORPRENDES EN PLENA REUNION FAMILIAR... UNA PEQUEÑA FIESTA EN LA INTIMIDAD...UNETE A NOSOTROS.

AVE, GOBERNADOR. SIENDO, COMO SOY, TESORERO DE LAS PROVINCIAS, VENGO ENVIADO DE ROMA POR JULIO CESAR PARA EXAMINAR TUS CUENTAS, Y NO PARA PARTICIPAR EN TUS ORGIAS. DI A ESA GENTE QUE SE VAYA.

CLARO, CLARO...VAMOS, AMIGOS MIOS... QUE LOS QUE PUEDAN ANDAR SE LLEVEN A LOS DEMAS
Y, POR LOS DIOSES...¡HAZ ABRIR LAS VENTANAS!

¿A DONDE VAMOS?
A CONTINUAR LA FIESTA A OTRA PARTE.

CANSADO.PODEMOS EMPE-
ZAR A TRABAJAR MAÑANA...
¿NO QUIERES UN BOCADITO?
CREO QUE NOS QUEDAN TRI-
PAS DE...
EL VIAJE HA SIDO LARGO,E INCLU-
SO NOS HAN ATACADO UNOS PIRA-
TAS DURANTE LA TRAVESIA.SUER-
TE QUE SE HAN PELEADO ENTRE
SI,Y HAN ACABADO POR HUNDIR-
SE SU PROPIO BARCO.

VEN A MIS ESTANCIAS
Y QUE ME SIRVAN UN
CALDO DE LEGUM-
BRES.
BUENO,BUE-
NO...YO MISMO
ME OCUPARE
DE ELLO.

POCO DESPUES
OH,AMO DILEC-
TO.¿DEBO HACER
SERVIR AHORA EL
EMBUTIDO DE OSO
Y LOS CUELLOS DE
JIRAFA RELLENOS?
¡NO!PREPARA-
ME UNA TAZA DE CAL-
DO DE LEGUMBRES.

¡HAY QUE VER LO
QUE LLEGAN A IN-
VENTAR PARA SUS
ORGIAS...!
TCHIP!
TCHIP!
TCHIP!

MAS TAR-
DE...
AQUI ESTA,
AMO;YA ES-
TA LISTO.
DEJALO AQUI
Y VETE.

¡JE,
JE,
JE!

¡POR JUPITER!
¡ESTA VACIO!

¡Y ESTE
TAMBIEN!

¡AH!¡POR FIN!¡DES-
PUES DE CADA USO,HA-
BRIA QUE RELLENARLO
DE NUEVO SIN CONTAR
CON LA RESERVA!

¡AQUI LLEGA EL CALDO!
ESTAS BIEN INSTALADO...ES RARO,TRATANDOSE DEL GOBERNADOR DE UNA PROVINCIA TAN POBRE QUE SOLO APORTA ALGUNAS MONEDAS DE ORO AL TESORO DE ROMA.

EL TODO ESTA EN TENER BUEN GUSTO.SE LLEGA A HACER MUCHO,SIN TENER GRAN COSA...

HASTA MAÑANA,YA VEREMOS TODO ESTO.
BUENAS NOCHES,CUESTOR.

JE,JE,JE...

Y AQUELLA NOCHE...
¡AMO! ¡AMO! ¡EL CUESTOR ESTA ENFERMO!
¿YA?

¡AH,COMO SUFRO! ¡POR JUPITER! ¡NO SALDRE DE ESTA!
SEGURAMENTE HA SIDO EL CALDO DE LEGUMBRES...ES MUY INDIGESTO ¡HARE QUE AZOTEN AL COCINERO...!

¡DEJA TRANQUILO AL COCINERO Y LLAMA,MAS BIEN, A UNOS CUANTOS MEDICOS!

¡BUENA IDEA! ¡HARE VENIR A TODOS LOS MEDICOS DE LA GUARNICION!

¿NO TEMES LA INTERVENCION DE LOS MEDICOS,OH, OJOALVIRUS?
CONOZCO A LOS MEDICOS DE LA GUARNICION...

EN GRUPO, AUN SON MAS MORTIFEROS QUE UNA LEGION ARMADA HASTA LOS DIENTES.

MAS TARDE, AQUELLA NOCHE...
CUESTOR, LOS MEDICOS ESTAN AQUI... ¿PUEDEN ENTRAR?
SI... ¡HUY!

¿DONDE ESTA EL ENFERMO?
¿ES EL QUE ESTA ACOSTADO?
¡DEJADMELO!
¡APARTAD!
!
VEAMOS SU PULSO.

ES CONVULSIVO.
QUERIDO COLEGA, YO DIRIA MAS BIEN HORMIGUEANTE.
¡BROMEAIS, QUERIDO! ¡ES ONDULANTE!

¿PUEDO RECORDAROS QUE HE SIDO MEDICO-JEFE DEL VALETUDINARIUM DE VINDONISSA ?*
¡PUES YO SEGUI LOS CURSOS DE LA CELEBRE ESCUELA DE WASSILIA!
*HOSPITAL MILITAR DE WINDISH. (SUIZA)

¡TENIENDO EN CUENTA VUESTROS RASGOS FACIALES, ALLI OS DEBIAIS OCUPAR SOBRE TODO DE LOS BORRACHOS EMPEDERNIDOS!
¡TAL VEZ! PERO EL INDICE DE MORTALIDAD DEL VALETUDINARIUM DE VINDONISSA ES MUY SUPERIOR AL DE UNA CAMPAÑA DE CESAR!
84

¡OOOOOOH!

¡HAY QUE HACERLE UNA SANGRIA!
NO ES ACONSEJABLE QUE BEBA NADA AHORA... LE FALTA AIRE EN LAS ARTERIAS. ¡HABRA QUE INSUFLARSELO!
¡SOIS UNOS IGNORANRANTES! QUE PREPAREN MARFIL PICADO, MEZCLADO CON SANGRE DE TORTUGA Y SANGRE DE PALOMO. SI EL ENFERMO SOBREVIVE...
¿DONDE ESTAN LAS "CUCURBITULAE ?*
*VENTOSAS.

¡POR ESCULAPIO! ¡ES GROTESCO! ¡PARA CONSULTAR A UN MEDICO COMO VOS, HAY QUE ESTAR REALMENTE MAL!
¿A QUE OS PARTO EL ANFORA DE UN REVES?
¡HEP!

¡CALMA! LO QUE NECESITAIS, POR ENCIMA DE TODO, ES CALMA.

¡DEJADME HABLAR!
83

OS PIDO QUE HAGAIS OFRENDAS EN MI NOMBRE A APOLO, EL DIOS QUE CURA...

¡EXCELENTE IDEA! LE OFRECEREMOS A APOLO UNOS PLATOS DE UNA RARA CALIDAD Y ESTA INTERVENCION CURARA SEGURAMENTE A NUESTRO ENFERMO...
YO CREO, SIN EMBARGO...

PRECISAMENTE, MI COCINERO HA PREPARADO EMBUTIDO DE OSO Y CUELLOS DE JIRAFA RELLENOS... CREO QUE TAMBIEN QUEDAN TRIPAS DE JABALI FRITAS EN GRASA DE URO
¿CON MIEL?
PLOP!

¡OH, CUESTOR SINUSITUS! ¿CREES QUE ESTAS OFRENDAS BASTARAN PARA DEVOLVERTE LA SALUD...?
HA SIDO UN PRETEXTO PARA QUE ESOS IMBECILES SE MARCHARAN. ESCUCHA...

DURANTE SUS CRISIS DE EPILEPSIA, JULIO CESAR HABLA A MENUDO DE UN PUEBLO GALO, NO LEJOS DE AQUI... EN ESE PUEBLO HAY UN DRUIDA... PAISAGIX, CREO QUE SE LLAMA...

PANORAMIX.
ESTO ES. ¡VE A BUSCARLE! ¡DEPRISA! ¡Y SIN QUE TE VEAN!

¡NO TEMAS, QUESTOR! ¡ESTAN DEMASIADO OCUPADOS PARA IMPEDIR QUE ME VAYA!

EN EFECTO...
HAY QUE PENSAR EN IR DEJANDO ALGUNA COSILLA A APOLO. ¿EH, MUCHACHOS...?
¡BAH! ¡SIEMPRE LE QUEDARA MAS QUE SUFICIENTE!

¡SI! ¡ESO DE LOS DIOSES QUE SE COMPORTAN COMO SI FUERAN AMOS, TIENE QUE ACABARSE!

POR LA MAÑANA, EN EL PUEBLO...
¿QUE TU AMO ESTA ENFERMO Y ME NECESITA? ¡AHORA VOY!

¡ASTERIX! ¡OBELIX! ¡NOS VAMOS A CONDATE INMEDIATAMENTE! ¡DEJAD TODO LO QUE ESTEIS HACIENDO!

HE DE PRESTAR SOCORRO A QUIEN ME LO PIDA, SEA ROMANO O NO.
A MI NO ME GUSTA QUE LOS ROMANOS ENFERMEN, ESTAN MAS BLANDOS QUE DE COSTUMBRE.

TAL VEZ OS RESULTE DIFICIL LLEGAR HASTA MI AMO.
OBELIX Y YO NOS ENCARGAREMOS DE ESTO. ¡NINGUN ROMANO NOS HA IMPEDIDO JAMAS QUE PASARAMOS!
10A

¡VAYA, PUES ME ENCANTA!
EN TODO CASO, ES LA PRIMERA VEZ QUE VEO A UNO A QUIEN LE ENCANTE.

POCO DESPUES, EN EL PALACIO DEL GOBERNADOR OJOALVIRUS...
RRRRRONNNN
TCHiiiiiiou
ZZZZZZZ

¡PLOOOOF!
?

¡SI! ¡ESO DE LOS DIOSES QUE SE COMPORTAN COMO SI FUERAN AMOS, TIENE QUE ACABARSE!
YO... ¡GLU! HE VENIDO A AVISARTE DE QUE TRES GALOS HAN HECHO IRRUPCION EN EL PALACIO. HAY UN DRUIDA CON ELLOS.

¿UN DRUIDA?
¿NADIE TIEÑE UN POCO DE MIEL?
10B

DI XXXIII, ROMANO.

¿QUE HACEIS AQUI, GALOS?
¡YO LES PEDI QUE VINIERAN, O SEA QUE CALLATE...!

¡PERO SI SON ENEMIGOS...! DEJEMOS MAS BIEN OBRAR A APOLO. LE HEMOS OFRECIDO UN BUEN PEDAZO DE EMBUTIDO DE OSO...

¿HAS OIDO, ROMANO? ¡HA PEDIDO QUE TE CALLES!

¡NO SABES CON QUIEN HABLAS! ¡SOY EL GOBERNADOR Y HARE QUE OS ECHEN!

¡A MI LA GUARDIA!
¿QUE PASCHA?
CREO QUE ESCH PARA NOSOTROS...
ENRROLATE QUE VERASCH MUNDO, DESCHIAN...

ALGUNOS INSTANTES MAS TARDE...
PERO...¿QUE OS HA PASADO?
PUESCH QUE EN LA SCHALA DE GUARDIA HEMOSCH ORGANISCHADO UNA PEQUEÑA ORGIA, Y...
¡JI, JI, JI!
¡HIPS!

¡HAY DEMASIADAS ORGIAS EN ESTE PALACIO! ¡ECHADME A ESTOS GALOS!
BUENO, BUENO, PERO SIN GRITAR, POR FAVOR.

PAF! BIMMM! BOUM! PLOFFF! SCHTONK!
¡BASTA!
¡PIEDAD!
¡HMM!
¡PERO BASTA, HOMBRE!

PANORAMIX, CUANDO HAYAS ACABADO CON EL TUYO, ¿QUERRAS ENCARGARTE DE LOS MIOS? NO SE SIENTEN NADA BIEN.

ESTAS ENFERMO, MUY ENFERMO... LA UNICA COSA QUE PODRIA SALVARTE ES UNA POCION CUYO SECRETO CONOZCO.
¡PREPARAME ESA POCION, OH, DRUIDA! NO ME MOSTRARE INGRATO.

DESGRACIDAMENTE, EL INGREDIENTE ESENCIAL DE ESTA POCION ES LA ESTRELLA DE LA PLATA.*
¿LA ESTRELLA DE LA PLATA?
*EDELWEISS.

ES UNA FLORECILLA QUE SOLO CRECE EN LAS MAS ALTAS MONTAÑAS... ES MUY DIFICIL CONSEGUIRLA.

¡PERFECTO! ¡PERFECTO! ¡ENVIARE A MIS HOMBRES A BUSCAR FLORECILLAS DE ESAS!

¡PERO ESTAN ENFERMOS...!
¡PRECISAMENTE! EL AIRE DE LA MONTAÑA LES SENTARA BIEN.

¿DONDE HAY QUE IR A BUSCAR ESA FLOR MARAVILLOSA?
PREFERENTEMENTE, EN HELVECIA. ES ALLI DONDE SE ENCUENTRA LA VARIEDAD MAS EFICAZ PARA MI POCION.

¡DRUIDA! ¡CONFIO EN TI! ¡ENVIA A TUS HOMBRES A BUSCAR ESA ESTRELLA DE PLATA...!
¿POR QUE APELAR A EXTRANJEROS...? ¡MANTENGAMONOS ROMANOS!

ASTERIX, OBELIX... ¿ESTAIS DE ACUERDO EN IR A HELVECIA?
SI, HACE TIEMPO QUE NO VIAJAMOS.
Y ADEMAS, A LO MEJOR, ALLI, EN LA MONTAÑA, ENCONTRAREMOS ROMANOS MAS SANOS... ¡ESTOS DE AQUI ME PREOCUPAN!
¿QUIERE ALGUIEN ESCUCHARME, POR FAVOR?

PONGO UNA CONDICION: VENDRAS A NUESTRO POBLADO COMO REHEN, HASTA QUE VUELVAN MIS AMIGOS.
¡NO, ESO NUNCA!
DE ACUERDO, DRUIDA.

¡Y TE PREVENGO! ¡SI MIS AMIGOS NO VUELVEN, EL REHEN SERA EJECUTADO!
¿AH, SI...?

YA QUE NO SE PUEDE HACER NADA MAS, VOY A DAR ORDENES PARA VUESTRA PARTIDA.
PANORAMIX, ESO DE UTILIZAR REHENES NO VA CON NUESTRO ESTILO...

ESTE HOMBRE, SINUSITUS, HA SIDO ENVENENADO. SI SE QUEDA AQUI, POCAS PROBABILIDADES TIENE DE SOBREVIVIR; EN NUESTRO PUEBLO, ESTARA A SALVO DE LOS ASESINOS.

¡PERO NO PODRE MANTENERLE EN VIDA DURANTE MUCHO TIEMPO! PARTID EN SEGUIDA Y DAOS PRISA. LES DIRE ADIOS, A LOS DEL PUEBLO, DE VUESTRA PARTE.
¡CUIDA BIEN A MI IDEFIX!

MIENTRAS TANTO...
EUCALIPTUS, TENGO DOS RAZONES PARA QUE ESTOS GALOS NO REGRESEN DE HELVECIA: PRIMERO, PARA QUE NO VAYAN A TRAER LA FLOR QUE PUEDE CURAR AL QUESTOR, DESPUES, PORQUE SI NO REGRESAN, LOS DE SU PUEBLO EJECUTARAN A SINUSITUS...!

SAL HACIA GENEVA*. LE DARAS ESTE MENSAJE AL GOBERNADOR DIPLODOCUS, UN VIEJO AMIGO. NO TE PARES POR EL CAMINO... ¡YA TE HAGO PREPARAR UNA CESTA-ORGIA!
*GINEBRA.

Y ASI ES COMO AQUELLA MISMA NOCHE, UN CARRO DEJA CONDATE EN DIRECCION AL PUEBLO GALO...

...UN MENSAJERO PARTE HACIA GENEVA...

...Y UN GUERRERO GALO, ACOMPAÑADO POR UN REPARTIDOR DE MENHIRES, SE VA A BUSCAR UNA FLORECILLA, MUY LEJOS, ALLA ARRIBA, EN LA MONTAÑA.

LAS NUEVAS CARRO-VIAS QUE LOS ROMANOS HAN CONSTRUIDO PERMITEN A NUESTROS AMIGOS AVANZAR RAPIDAMENTE.
¿COMO, QUE TIENES HAMBRE ?¡PERO SI ACABAMOS DE SALIR!
YO, CUANDO VIAJO, SIEMPRE TENGO HAMBRE.

NOTO UN HUECO, AQUI.

II MILIA PARADORUM

¡MIRA, OBELIX! ¡PODREMOS COMER ALLI!

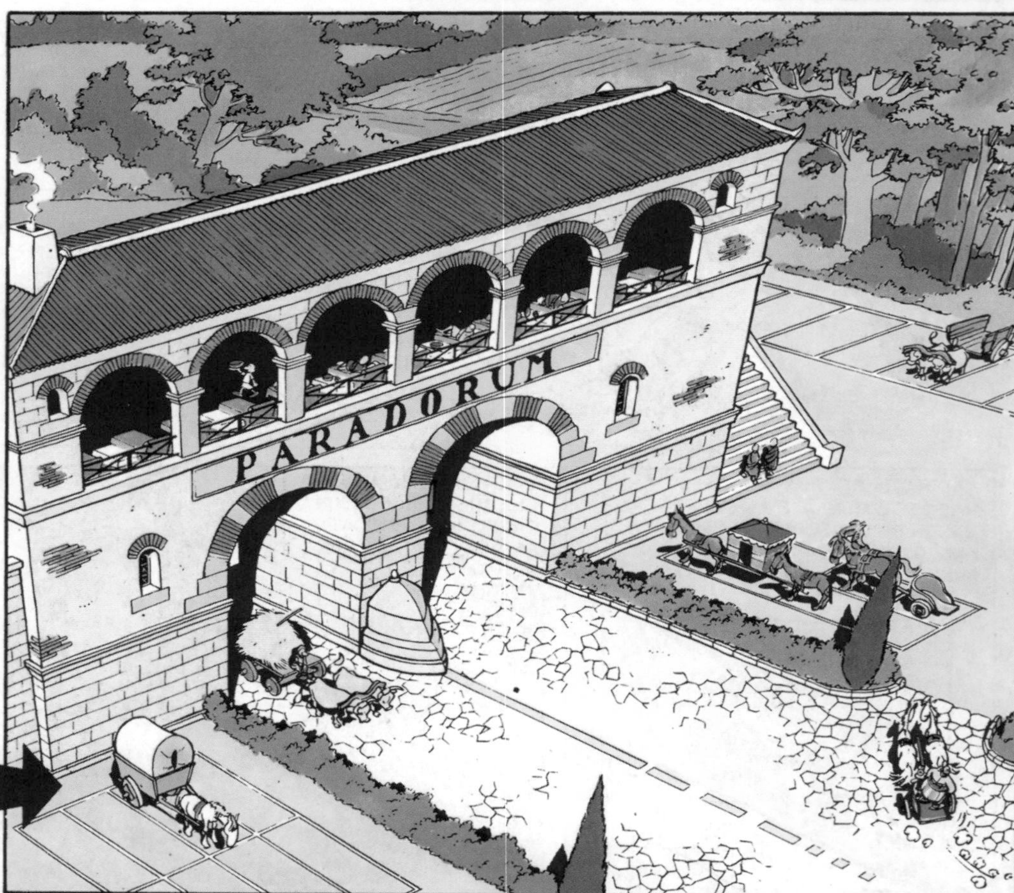
PARADORUM

SI, ES MUY AGRADABLE. MIENTRAS COME UNO, SI TIENE SUERTE, VE LOS ACCIDENTES QUE SE PRODUCEN EN LA CARRO-VIA...

MIENTRAS TANTO...
NO TENDRIA QUE HABER COMIDO EMBUTIDO DE OSO EN GELATINA... PUEDE RESULTAR INDIGESTO... Y LA VERDAD ES QUE UNA ORGIA, SOLO, NO RESULTA MUY DIVERTIDO.
14

MIENTRAS EL ENVIADO DEL GOBERNADOR OJOALVIRUS PROSIGUE SU CARRERA DESENFRENADA, NUESTROS AMIGOS PASAN LA NOCHE EN UNA NUEVA POSADA, DONDE HAY TANTOS ESTABLOS COMO HABITACIONES...
CARRHOTEL

...Y EN GENEVA, EN HELVECIA, EN EL PALACIO DEL GOBERNADOR ROMANO DIPLODOCUS, UN BANQUETE EMPIEZA...
¡TRAIGA LA MARMITA DE QUESO FUNDIDO!

¿QUE? ENTONCES, ¿ENTENDIDO? ¡EL QUE PIERDA SU TROCITO DE PAN EN EL QUESO FUNDIDO, PAGA UNA PRENDA! ¡LA PRIMERA VEZ, CINCO AZOTES; LA SEGUNDA VEZ, VEINTE AZOTES; LA TERCERA VEZ ES ECHADO AL LAGO CON UN PESO ATADO A LOS PIES!

¡AH, DILECTO DIPLODOCUS! ¡QUE IDEAS MAS DIVERTIDAS TIENES!
ES NECESARIO EN ESTE SEVERO PAIS... ¡HE TRATADO DE ORGANIZAR JUEGOS DE CIRCO, PERO LOS ANIMALES ESTABAN TAN BIEN ALIMENTADOS, QUE NI SIQUIERA QUERIAN PROBAR UN POQUITO DE LOS CONDENADOS.

Y, ADEMAS, SU MANIA DE LA LIMPIEZA... ¡UN BANQUETE HA DE SER ALGO GRASIENTO! ¡CESAD DE FROTAR, POR JUPITER!

¡OH! ¡HE PERDIDO MI TROCITO DE PAN!

¡LOS AZOTES! ¡LOS AZOTES!

¡YA VA! ¡YA VA!

NUESTROS AMIGOS SUFREN ALGÚNOS PERCANCES...SE LES ROMPE UNA RUEDA, POR EJEMPLO.
ESTA LISTO.
MUY BIEN.
AGUA
AVENA

¿HAS VISTO, ASTERIX? TENIA UN ASPECTO MUY RARO ESE...
NOS ACERCAMOS A HELVECIA...¡AFORTUNADAMENTE! ¡HEMOS PERDIDO MUCHO TIEMPO!

INCLUSO DEMASIADO TIEMPO, PORQUE EN GENEVA...
¡AMO, UN ENVIADO MUY SUCIO DE OJOALVIRUS QUIERE VEROS, Y TENEIS UNA MANCHA AQUI!
NO TE PREOCUPES POR MI MANCHA Y HAZLE ENTRAR.

¡AVE!

¡AH! ¡ES ESTUPENDO ENCONTRARSE CON ALGUIEN REALMENTE SUCIO! ¡TOMA TU ESPADA Y PARTICIPA EN NUESTRO BANQUETE!
MAS TARDE, OH, GOBERNADOR DIPLODOCUS. ¡TENGO UN MENSAJE IMPORTANTE PARA TI!

CONTINUAD DIVIRTIENDOOS SIN MI, MUCHACHOS.

¡VAYA! ¡HE VUELTO A PERDER MI TROCITO DE PAN!

¡EL LATIGO! ¡EL LATIGO!

¡PERO SI TODAVIA NO ESTA SECO!

NO SOLO SOY CAPAZ DE HACERLE CUALQUIER FAVOR A ESE VIEJO BRIBON DE OJOALVIRUS, SINO QUE HACER DESAPARECER UN QUESTOR ES ALGO QUE ME PLACE. DARE ORDENES PARA QUE ESTOS GALOS NO PASEN LA FRONTERA... Y AHORA, VOLVAMOS AL BANQUETE.

¡OH! ¡HE PERDIDO MI TERCER TROCITO DE PAN!
¡AL LAGO!
¡AL LAGO, CON PESOS ATADOS A LOS PIES!

¡QUE SALVAJES!
SI, EN ESTA EPOCA DEL AÑO LAS AGUAS DEL LAGO SIEMPRE ESTAN ENLODADAS.
DIPLODOCUS

MIENTRAS TANTO...
¡ESTAMOS LLEGANDO, OBELIX!

GALIA IMPERIO ROMANO
HELVECIA IMPERIO ROMANO TAMBIEN

GALIA IMPERIO ROMANO
¡ALTO! ¡CONTROL DE FRONTERAS A LA SALIDA DE LAS GALIAS!
¿QUE HACEMOS, ASTERIX?
PURO TRAMITE, OBELIX. HAY QUE PLEGARSE A EL.

¿QUE VAIS A HACER EN HELVECIA?
VENIMOS A BUSCAR...
VENIMOS A BUSCAR AIRE PURO Y BELLOS PANORAMAS.

¡DECURION! UN MENSAJERO DEL GOBERNADOR DIPLODOCUS PIDE HABLARTE CON URGENCIA.
NO, ASTERIX, NO ES ESTO. NOSOTROS...
¡OBELIX! ¡CALLATE!

BSSSBSSSSBSSSBSSS...
¡AJA!

¡ESTA BIEN, GALOS! ¡PASAD!

¡ALTO!

¡PERO SI NOS HABEIS DICHO QUE PASARAMOS!
OS HE AUTORIZADO A SALIR DE LAS GALIAS. PERO LAS DECISIONES ADMINISTRATIVAS TOMADAS AL OTRO LADO DE LA FRONTERA YA NADA TIENEN QUE VER CONMIGO.
HELVECIA IMPERIO ROMANO TAMBIEN
DETRITVS

AHORA, SE TRATA DEL CONTROL DE FRONTERAS PARA ENTRAR EN HELVECIA. BAJAD DEL CARRO

¿TIENE USTED ALGO QUE DECLARAR?
TENGO HAMBRE.

¿QUE TIENE USTED AQUI?
UN HUECO.

BUENO, REGISTRADLES. DESPUES, REGISTRAREIS EL CARRO. Y DESPUES, LOS CABALLOS.

VUESTROS VESTIDOS, VUESTRAS ARMAS, ¿DE DONDE VIENEN?
DE NUESTRO PUEBLO, EN LAS GALIAS.

TENDRIAIS QUE HABERLOS DECLARADO. IMPORTACION FRAUDULENTA. ESTAIS APAÑADOS. CONTINUEMOS.

¿Y QUE LLEVAIS EN ESA CANTIMPLORA QUE OS CUELGA DEL CINTO?
UNA POCION... ¿QUEREIS VER COMO ACTUA?
¡AH, SI!

GLU-GLU...

ESTA POCION,ES UNA POCION MAGICA QUE PREPARA NUESTRO DRUIDA Y QUE NOS DA UNA FUERZA SOBREHUMANA...
?

COMPROBADLO VOS MISMO.
¡PAF!

YO NO TENGO NECESIDAD DE TOMARLA...¡ME CAI DENTRO CUANDO ERA NIÑO!
?

COMPROBADLO VOS MISMO.
¡POF!

BUENO, ¿DONDE HAN IDO A PARAR LOS OTROS?
19A

CREO QUE TIENEN PROBLEMAS,EN HELVECIA.
YA LES TOCABA TENERLOS, YA.
GALIA
HELVECIA
?!

¡NO NOS ENTRETENGAMOS POR AQUI,OBELIX! CREO QUE EL DRUIDA TENIA RAZON.¡NO SERA TAN SENCILLO CONSEGUIR LA ESTRELLA DE PLATA!

NO OS VOLVAIS AUN,AUNQUE CREO QUE LAS COSAS SE ESTAN CALMANDO EN HELVECIA.

¡ATRAVESAD LA FRONTERA Y DE PRISA,POR JUPITER!¡PERSEGUID A ESTOS HOMBRES! ¡NUESTRA CABEZA DEPENDE DE ELLO!
¡HELVECIA YA NO ES LO QUE ERA!
MAJOR E LONGINQUO REVERENTIA.
DI QUE SI, AMIGO, DI QUE SI.
19B

OYE, ASTERIX, Y¿DONDE ESTAN LAS MONTAÑAS?
¡PSSS, OBELIX! CREO QUE PRONTO TENDREMOS TODAS LAS GUARNICIONES ROMANAS PISANDONOS LOS TALONES.

PUES SUBAMOS A UNA MONTAÑA, ARRANQUEMOS UNA "ESTRELLA DE PLATA" Y VOLVAMOS A LAS GALIAS.
NO ES TAN SENCILLO. HAY QUE SABER DONDE CRECE ESA FLOR.

HAY UNA CIUDAD, AL OTRO LADO DEL LAGO. EN CUANTO HAYA ANOCHECIDO, IREMOS ALLI. ENCONTRAREMOS AYUDA.
¿TIENEN UN LAGO, AQUI?

MAS TARDE...
CRUCEMOS EL LAGO A NADO... ENTRAREMOS EN LA CIUDAD MAS FACILMENTE; LAS PUERTAS DEBEN ESTAR GUARDADAS.

¡NO SE VE NADA, ASTERIX!
MEJOR, OBELIX; ASI LOS ROMANOS NO PODRAN DETENERNOS.

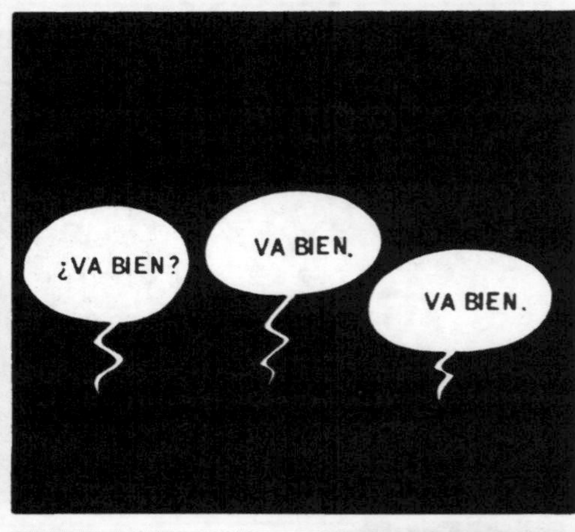
¿VA BIEN?
VA BIEN.
VA BIEN.

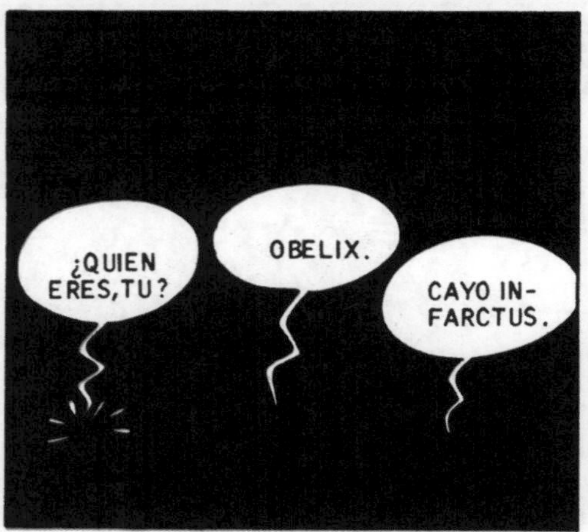
¿QUIEN ERES, TU?
OBELIX.
CAYO INFARCTUS.

ESTOY CONTENTO DE HABEROS ENCONTRADO; HE LOGRADO QUITARME LOS PESOS QUE TENIA EN LOS PIES, PERO EMPIEZO A FATIGARME. AYUDADME A VOLVER A LA RIBERA.

¿ES POR AQUI? ES QUE NO CONOCEMOS MUY BIEN TODO ESTO.
SI. ¿VOSOTROS TAMBIEN HABEIS PERDIDO VUESTROS TROCITOS DE PAN EN EL QUESO FUNDIDO? EL LAGO LEMANUS ESTA LLENO DE DESMAÑADOS.
EL AIRE SERA MAS PURO, PERO LOS ROMANOS SIGUEN IGUAL.

¿PODRAS INDICARNOS UNA POSADA, ROMANO?
HAY POSADAS EN TORNO AL LAGO. AHI ENFRENTE MISMO TENEIS UNA.

¿Y TU, QUE VAS A HACER?
PONERME VESTIDOS SECOS Y VOLVER AL BANQUETE...¡LO QUE LLEGAMOS A DIVERTIRNOS...!

POSADA DEL LAGO
¿QUE ES ESO DEL QUESO FUNDIDO, ASTERIX?
FORMA SEGURAMENTE PARTE DE LOS BANQUETES LOCALES.

...SI, TENGO UNA HABITACION LIBRE, AUNQUE EN ESTE MOMENTO, EN GENEVA, TENGA LUGAR LA CONFERENCIA INTERNACIONAL DE JEFES DE TRIBUS, LA C. I. J. T.

!
UNA DELEGACION BARBARA HA REHUSADO QUEDARSE CON LA HABITACION QUE LE HABIAMOS DADO. LE HABIA PARECIDO DEMASIADO LIMPIA...

SOIS EXTRANJEROS, SIN DUDA. QUIERO HACEROS NOTAR QUE HUBIERAIS DEBIDO PASAR POR EL PUENTE. JULIO CESAR LO HABIA DESTRUIDO, PERO ESTA RECONSTRUIDO, AHORA...

MIENTRAS TANTO, EN EL PALACIO DEL GOBERNADOR...
¡INEPTOS! ¡NECESITO A ESOS GALOS!

¡QUE AVISEN A TODAS LAS GUARNICIONES! ¡LAS DE AVENTICUM, DE VIDONISSA, DE AUGUSTA RAURICA, DE OCTODURUM, DE SOLODURUM! ¡REGISTRAD GENEVA! ¡LARGAOS...!
¡OH, DILECTO DIPLODOCUS, HEME DE VUELTA...!
*AVENCHES, WINDISCA, BASILEA, MARTIGNY, SOLEURE.

¡NO TENGO TIEMPO DE ESCUCHAR TUS MONSERGAS!
BUENO, BUENO...

Y ESO QUE ME HA PASADO UNA COSA DIVERTIDA, EN EL LAGO. HE ENCONTRADO ALLI A DOS TIPOS QUE ME HAN AYUDADO A SALIR, Y...

¿DOS TIPOS?

¡MI TROCITO DE PAN! ¡ME HAS HECHO CAER EL TROCITO DE PAN EN LA MARMITA...!
¡NO TE PREOCUPES POR TU TROCITO DE PAN! ¿DONDE ESTAN?

¡AH! ¿ESOS TIPOS? HAN IDO A LA POSADA QUE ESTA CERCA DEL PUENTE...

¡GUARDIAS! ¡GUARDIAS!
¿Y MIS AZOTES, QUE? ¡SI NO ME DAN MIS AZOTES, NO VALE...!

EN AQUEL MOMENTO...
¡AQUI TENEIS VUESTRA HABITACION...!
XII BIS

ESTE RELOJ DE ARENA ES MUY EXACTO; FABRICACION HELVETICA, PERO ES NECESARIO QUE ESTEIS PENDIENTE DE EL. CADA VEZ QUE GRITE "CU-CU", SERA HORA, PARA TODOS LOS CLIENTES DE LA POSADA, DE PONER EL RELOJ DE ARENA AL REVES...

TOMO VUESTROS ZAPATOS PARA LIMPIARLOS. DORMID BIEN...

¡TSSK, TSSK, TSSK!

¡ESTA COMPLETO...!

NO QUEREMOS HABITACION. QUEREMOS SABER SI TIENES GALOS MOJADOS ENTRE TUS CLIENTES.

?!
NO. TENGO SICAMBROS, TRIBOQUES, UN CARRO DE IBEROS, ALGUNOS BRETONES Y SEQUANOS, TODOS BIEN SECOS...

¿Y ESTAS HUELLAS DE BARRO AQUI?

¡OH, SON LAS MIAS! A VECES, POR LA NOCHE, VOY A DAR UNA VUELTA POR LA RIBERA DEL LAGO. ¡DISFRUTAMOS DE AIRES TAN BUENOS...!

¿SON TUS ZAPATOS, ESTOS?
SI, ES QUE TENGO VARIOS PARES... FIJAOS...

¡BUENO, BUENO, ESTA BIEN!
¡FLOC!
¡FLOC!

VAMOS A REGISTRAR LAS OTRAS POSADAS. SI VES GALOS, AVISANOS. SON PELIGROSOS DISIDENTES...
¡CONTAD CONMIGO...!
¡FLOC!
¡FLOC!

¡HE ENSUCIADO MI POSADA! ¡HE CAMINADO CON ZAPATOS EMBARRADOS EN MI ESTABLECIMIENTO! ¡Y TODO, POR CULPA DE ESOS MALDITOS ROMANOS!
¡CHLONK!

¡DESPERTAOS! ¡LOS ROMANOS OS BUSCAN! ¡SEGUIDME! ¡HAY QUE OCULTAROS!
¡?
XII BIS

¡LA VIA ESTA LIBRE! ¡VAMONOS!

¡OH!

¡PERDONADME, VUELVO EN SEGUIDA...!
?!

¡CUCU!

¡YA ME ESTAN PONIENDO NERVIOSO CON SU EXACTITUD!
¡POC!

¿A DONDE NOS LLEVAS?
DE MOMENTO, A UN LUGAR SEGURO. YA VEREMOS DESPUES.

¡A ESTA HORA, EL BANCO ESTA CERRADO!
BANCO ZVRIX
¡BONG! BONG!

¡ZURIX! ¡ABRE! ¡SOY YO: GUARDIASUIX!
¿SABES QUE HORA ES...?

ESTOS DOS HOMBRES ESTAN SIENDO PERSEGUIDOS POR LOS ROMANOS QUE REGISTRAN TODA LA CIUDAD. ¡HAY QUE SALVARLES!
SI, CLARO... TENEIS NUESTRA SIMPATIA. HEMOS COMBATIDO A LOS ROMANOS A MENUDO, Y JULIO CESAR NOS CONSIDERA ADVERSARIOS TEMIBLES... PERO, ¿DONDE ESCONDEROS?

YO HABIA PENSADO EN UNO DE LOS COFRES DE TU SOTANO...
HABRIA QUE ABRIR UNA CUENTA.
¿PARA ESCONDERNOS EN UN COFRE?

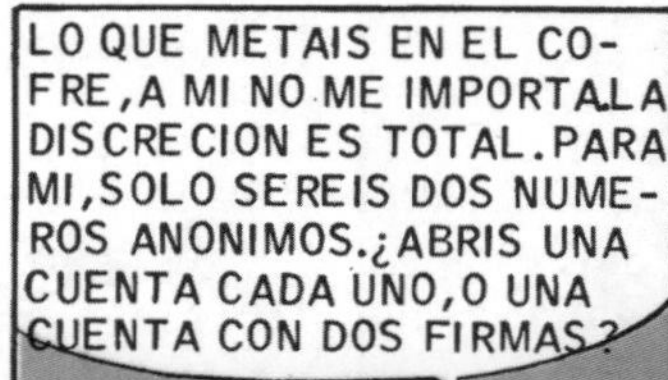
LO QUE METAIS EN EL COFRE, A MI NO ME IMPORTA. LA DISCRECION ES TOTAL. PARA MI, SOLO SEREIS DOS NUMEROS ANONIMOS. ¿ABRIS UNA CUENTA CADA UNO, O UNA CUENTA CON DOS FIRMAS?

SI TENEIS COFRES LO BASTANTE GRANDES, PREFERIRIAMOS ESTAR JUNTOS.
ES MUY POSIBLE. ¡FIRMAD AQUI, AQUI Y AQUI!

SI QUEREIS SEGUIRME...

CRIIIIII
ESTE ES VUESTRO COFRE.

VENDRE A BUSCAROS MAÑANA. TOMO NOTA DEL INGRESO.
GRACIAS POR TODO, GUARDIASUIX.

¡ESPERAD, DESDICHADOS! NADA HA SIDO PREVISTO PARA ABRIR LOS COFRES DESDE DENTRO. ¡SI QUIERES QUE GUARDIASUIX OS VENGA A ABRIR, HAY QUE HACERLE UNOS PODERES!

¡BUENAS NOCHES!
MIENTRAS DORMIS, AUMENTA EL INTERES.

HE DE VOLVER EN SEGUIDA A LA POSADA, SI NO, ME VOY A ENCONTRAR CON UN CU-CU DE RETRASO.
BROMMMMM!
¡YO... AOOOHO! ME VUELVO A LA CAMA.
¡POF!

¡ASTERIX, HEMOS VENIDO AQUI PARA SUBIR A UNAS MONTAÑAS Y NOS ENCONTRAMOS BAJO TIERRA!
¡TIENES RAZON, MI BUEN OBELIX!

¡Y TENGO HAMBRE, ASTERIX! ¡ES DESAGRADABLE TENER UN HUECO EN UN COFRE!
ES VERDAD, TAMBIEN YO TENGO HAMBRE... HAN OLVIDADO DARNOS DE COMER.

PERO YO NO SE SI TENEMOS DERECHO A ABRIR ESTE COFRE DESDE DENTRO...
BUENO, PERO... ¿ACASO NO ES NUESTRO COFRE?

¡CHONK!

¡ZURIX!
¿HMM?

MIRA... ES QUE TENEMOS HAMBRE.
PERO, ¿COMO HABEIS LOGRADO...? BUENO, ESPERADME EN EL SOTANO. OS LLEVARE UN BOCADO.

LA LAMPARA OS SERVIRA PARA ILUMINAROS Y PARA HACER FUNDIR EL QUESO.

¡AAAAAH! ¡QUE HORROR! ¡UN COFRE SIN PUERTA!
?

NO OS PODEIS QUEDAR EN UN COFRE SIN PUERTA EN TODO CASO... VAIS A TENER QUE ABRIR OTRA CUENTA.

¡EN EL NOMBRE DEL CESAR, ABRID!

¡LOS ROMANOS! ¡ENTRAD EN ESTE COFRE! ¡DEPRISA!
VII
CLONG!
CLING!

¿A QUIEN PERTENECE ESTE COFRE?
¡NI SE A QUIEN PERTENECE, NI QUIERO SABERLO! ¡DAOS PRISA!

¡CREO ADIVINAR LA NACIONALIDAD DE VUESTRO CLIENTE!
¡ENTRAD Y DE PRISA!

¡BUENO!, ¿QUE, ABRIS, POR JUPITER?
POF!
¡YA VOY, YA VOY!

¡CORTA EL QUESO, OBELIX!

¡ASTERIX! VOY A IR A PREGUNTARLE A ZURIX SI TIENE UN QUESO SIN AGUJEROS...
¡NO, OBELIX! ¡COME Y CALLA!

¡YA VES! ¡VENIMOS A BUSCAR MONTAÑAS, Y VAMOS A PARAR A UN SOTANO PARA COMER AGUJEROS!
¡PSSST!

LAMENTO MOLESTAROS A ESTA HORA, PERO TENEMOS ORDENES DE REGISTRAR TODA LA CIUDAD PARA ENCONTRAR A DOS FUERA DE LA LEY.
AQUI SOLO HAY COFRES. Y YA SABEIS QUE SON INVIOLABLES.

YA LO SE, YA LO SE, Y, CREEDME, NO SERE YO QUIEN OS LO ECHE EN CARA. BUENO, NOS VAMOS.

¿PERO...?

¿Y ESTO?

AH, PUES... ¡JEM! UNOS LADRONES... ABRIERON EL COFRE Y SE LLEVARON TODO LO QUE HABIA DENTRO...
¿QUE?

¿ESTA ES LA INVIOLABILIDAD DE VUESTROS COFRES? ¡ES QUE HABEIS DE SABER QUE TENGO UN COFRE AQUI, YO!

CLARO QUE, EN FIN, NO TENGO MAS QUE ALGUNOS PEQUEÑOS "SOUVENIRS" QUE ME TRAJE DE EGIPTO... CUESTION SENTIMENTAL, MAS QUE NADA... BUENO, EN FIN, NO VOY A HACEROS MI CURRICULUM VITAE...
FALTARIA MAS...

ESTA NOCHE ESTOY OCUPADO, ¡PERO MAÑANA VOLVERE PARA CANCELAR MI CUENTA! ¡VIGILAD BIEN ESTE COFRE DE AQUI! ¡APRECIO MUCHO LO QUE HAY DENTRO!

¡BUAAAAAAA!
¿OYES ESTO, OBELIX? SE OYE ALGO, MUY LEJANO... ¡COMO UN LLANTO QUE NOS LLEGARA DESDE EL V PINO...!
¿ESTAS SEGURO DE QUE ESTE ES EL PAIS DE LAS MONTAÑAS...?

¡SILENCIO! ¡QUIERO SILENCIO! ¡DISCRECION EN MIS CUENTAS!
BOM! BOM! BOM!

¡CU-CU!
¡BASTA!
¡QUE EXACTITUD EN DAR LA HORA!
¡DESPIERTA, QUERIDO! ¡HA DICHO "CU-CU"...!
¡Y A PRUEBA DE CHOQUES! ¡TODOS LOS HOMBRES IMPORTANTES LO LLEVAN!
Y YO, ¿SABES LO QUE LE DIGO?
¡SI AL MENOS SE PUDIERAN PONER AL REVES ESTOS RELOJES DE ARENA VARIAS VECES POR ANTICIPADO...!
ALBERGUE DEL LAGO

MEDIO CU-CU MAS TARDE...
BUENOS DIAS. VENGO A BUSCAR A LOS GALOS.
¡LLEVATELOS LEJOS DE AQUI! ¡ME HAN PERJUDICADO MUCHO! ¡ME HAN OBLIGADO A MENTIR CON RESPECTO A LA INVIOLABILIDAD DE MI ESTABLECIMIENTO!

¡ESTOY DESEANDO HACER BORRON Y CUENTA NUEVA CON RESPECTO A ELLOS!
CALMA, ZURIX. A MI ME HAN OBLIGADO A ENSUCIAR MI POSADA.
¡CLIC!

SON COSAS COMO ESTA LO QUE NOS LLEVA A LA NEUTRALIDAD.

OS HE TRAIDO ALGO PARA DISFRAZAROS Y ASI PASAREIS DESAPERCIBIDOS ENTRE LA MULTITUD.
¿ESO ES UN DISFRAZ?

CON ESAS ARMAS PARECEREIS HELVECIOS QUE VAN A HACER SU EJERCICIO MILITAR. CADA AÑO, DEBEMOS EJERCITARNOS DURANTE UNA NONA Y UNA CALENDA CON LAS ARMAS QUE SE NOS CONFIA.
BANCO ZURI
¡BLAM!

AL FIN SOLO, SIN TODOS ESOS BARBAROS ¡AH, QUE PLACER TOMAR UN TRAGO A LA MANERA DE HELVECIA!

PROCURAD CAMINAR CON ASPECTO SUELTO Y BIEN ALIMENTADO.
BIEN ALIMENTADO... ¡ESO DE LOS AGUJEROS NOS HA RESUELTO PRECISAMENTE EL PROBLEMA DE MI HUECO!

¡UN CONTROL DE LEGIONARIOS!
¡BAH! ESTAMOS DISFRAZADOS, NO CORREMOS PELIGRO.
TU HUECO ES MUY RECONOCIBLE, OBELIX.
CLEPSYDRES

EN EFECTO...
¡SON ELLOS! ¡SON LOS QUE ME SACARON DEL LAGO LA OTRA NOCHE!

¡EH! ¡NO OLVIDEIS QUE SE ME DEBEN CINCO BASTONAZOS!
¡NO IRAN MUY LEJOS! ¡LA VIA ESTA BLOQUEADA POR TODAS PARTES!

¡ROMANOS ALLI ENFRENTE!

¡VAMOS A ESCONDERNOS EN EL PALACIO DE LAS CONFERENCIAS INTERNACIONALES!

CONFERENCIA INTERNACIONAL DE LOS JEFES DE TRIBUS CLXVIIIª SESION

...Y CREO QUE ES POSIBLE VIVIR EN PAZ CON LOS ROMANOS. SOLO SE NECESITA UN POCO DE BUENA VOLUNTAD POR AMBAS PARTES, Y EL RESPETO DE LA LIBERTAD INDIVIDUAL...
SEPAREMONOS, SENTEMONOS Y HAGAMOS COMO LOS DEMAS.

CLARO ESTA QUE ESTO REPRESENTARA UN ESFUERZO...
FINJAMOS DORMIR...

...PERO LOS ROMANOS YA HAN DADO PRUEBAS DE SU DESEO DE PAZ...
¿?!
¡RRONNN!
¡BRRRRR!

PAX ROMANA, HE AQUI LO QUE PUEDE SER UNA FORMULA PARA UN FUTURO ARMONIOSO, SI OLVIDAMOS LOS RENCORES Y LAS SUCEPTIBILIDADES...

...VEO UN PORVENIR HECHO DE CALMA Y DE TRANQUILIDAD.
¡ALLA VEO AL PEQUEÑO TIÑOSO!
¡SEGUIDME!
¡VEN, OBELIX!

...Y ES POR ESTO QUE YO CREO...
¡OBELIX
¡RRONN!
ZZZZZ

...QUE LA PAZ ES POSIBLE...
¡CU-CU!

...Y DEBE SER POSIBLE. OS DOY LAS GRACIAS POR VUESTRA ATENCION...

EL DELEGADO DEL PUEBLO DE LOS CARDUCOS TIENE LA PALABRA...
SEÑOR PRESIDENTE, SEÑORES DELEGADOS, SERE BREVE...
¡EL LAGO! ¡VAMOS ALLA!

¡AH, NO! ¡REALMENTE NO ME IMAGINABA YO ASI LAS MONTAÑAS!

¡VAMOS! ¡ZAMBULLIOS!
¿CON LAS CORAZAS?
¿Y LOS CASCOS?
¿Y NUESTROS CALIGAE?
¡NO ES QUE NO QUIERA MOJARME, PERO ES QUE NO SE SI HACE YA TRES HORAS QUE ACABAMOS DE COMER!

¡QUITAOSLO TODO! ¡QUEDAOS VUESTRAS ARMAS! ¡EJECUCION! ¡NUNC EST BIBENDUM!
¡ESTO ES DE UNA ODA DE HORACIO!
NO TE MOLESTES...SI YO ESTUVIERA TAN FUERTE EN NATACION, COMO EN CITAS, NO HABRIA PROBLEMA.

¿QUE HACES, OH, IMBECIL?

¡HAGO EL "MUERTO"! ¡ES TODO LO QUE SE HACER! ¡MI ESPECIALIDAD ES LA INFANTERIA, NO LO OLVIDEMOS...!

¡NOS SIGUEN...!
¡MIRAD! ¡AQUEL BARCO! ¡PASEMOS AL OTRO LADO!

¿DONDE HAN IDO A PARAR? ¡YA NO SE LES VE!
TAL VEZ HAYAN IDO AL FONDO DE LA CUESTION.

¡AQUEL BARCO! ¡SEGUID AQUEL BARCO!
¿SE HABRA VUELTO LOCO, O QUE?

NO DEBEIS SER DE AQUI, SI NO, SABRIAIS QUE EL PUENTE DESTRUIDO POR CESAR HA SIDO RECONSTRUIDO.
YA LO SABEMOS. GRACIAS POR HABERNOS SACADO DEL LAGO.

OLÉLÉ¡¡¡¡¡¡¡¡¡¡¡¡!
YODLÉIOOOOOOOO!

ES UN CANTO TIPICO. VAIS A TENER LA SUERTE DE OIR CANTAR A NUESTRO CORO.
EN NUESTRO PUEBLO TENEMOS UN BARDO QUE TIENE UN TIPO DE VOZ PARECIDO.

¡OBELIX! ¡VUELVE A SUBIR A BORDO EN SEGUIDA!

¿A DONDE VA AQUEL BARCO, PESCADOR?
TRANSPORTA UNA PEÑA DE ANTIGUOS GUERREROS... UNA VEZ AL AÑO, VAN A HACER UNA EXCURSION A LA OTRA RIBERA, CERCA DE LA MONTAÑA.

¡VAMOS A AVISAR AL GOBERNADOR DIPLODOCUS! ¡SEGUIDME!

DE TODAS MANERAS HABRA QUE PONER UN CARTEL, CON RESPECTO A ESE PUENTE.
¡YA SON NUESTROS!

¡SI, YA SON NUESTROS! ¡QUIERO QUE TODAS LAS TROPAS DISPONIBLES SE DIRIJAN HACIA EL LUGAR DE LA FIESTA! ¡QUIERO A ESOS GALOS VIVOS O MUERTOS!
BONG!
34A

MIENTRAS TANTO...
ESTOS HELVECIOS SIMPATICOS NOS AYUDARAN, SEGURAMENTE, A ENCONTRAR LA FLOR QUE HA DE CURAR AL REHEN ROMANO QUE TENEMOS EN EL PUEBLO...
PON!

YA ESTAMOS LLEGANDO. COMO VEIS, HAY AMIGOS ESPERANDONOS.

BOOOOOOOOOOOOOOOOOOOOOOOOOOOooo

YODLÉiiiiiiiiiiiiiiiiiiiiiiiiiii
¡QUE PAIS TAN HERMOSO, TAN ALEGRE, TAN APACIBLE!
¡SI, SI, AQUI TODO ES ARMONIA!
34B

OS DEJO AQUI. HE DE VOLVER A MI POSADA. TENGO YA VARIOS CUCÚS DE RETRASO. ¡BUENA SUERTE!
GRACIAS POR TODO, GUARDIA SUIX.

HEMOS DE BUSCAR UNA FLOR, UNA ESTRELLA DE PLATA. ¿PODEIS AYUDARNOS?
¡CLARO! CONOCEMOS BIEN LA MONTAÑA. PERO PRIMERO, HAGAMOS LA FIESTA

¡CHICO! TE COMERAS LA MANZANA MAS TARDE. VE A COLGAR LA DIANA.
HAY QUE METER PRISA.
¡VAYA RESFRIADO QUE HE PESCADO EN ESE MALDITO LAGO!

¡HONOR A NUESTROS INVITADOS! SEREIS EL PRIMERO EN DISPARAR.
¡BUENO! Y DESPUES VAMOS A BUSCAR LA FLOR
SNIF!

...AAAA... ¡AAAAT...

CHIIIIS!

¡OBELIX, HAS ESTADO A PUNTO DE PROVOCAR UN ACCIDENTE!
SI, PERO... ¡QUE ALIVIO!

MUY BUENA FLECHA. EN MITAD DEL BLANCO.

MUY BUENA FLECHA Y, SIN EMBARGO, ESTOY UN POCO DECEPCIONADO
YO TAMBIEN. ¡CUALQUIERA SABE POR QUE!
¡SCROTCH!

BUENO, ¿VAMOS AHORA A BUSCAR LA ESTRELLA DE PLATA?
¡PRIMERO COMEMOS Y BEBEMOS, DESPUES CANTAMOS, Y DESPUES VAMOS A RECOGER FLORES!

¡VENID! ¡EL QUESO FUNDIDO ESTA LISTO!
¡PODRIAN HACER FUNDIR JABALIES, PARA VARIAR!
¡DEPRISA! ¡CUANTO ANTES HAYAMOS COMIDO Y CANTADO, ANTES IREMOS A BUSCAR LA FLOR! HAY QUE APROVECHAR QUE LOS ROMANOS NO NOS HAYAN ENCONTRADO AUN.

¡YA VERAS TU SI YO LES METO PRISA...!
?

¿EH?
?

PERO, EXTRANJERO, NO ES ASI COMO...
¡GLOP!
¡GLOP!
¡GLOP!

¡BEBAMOS, AHORA!

TENIENDO EN CUENTA VUESTRA MANERA DE COMER, SUPONGO QUE NO NECESITAREIS UNA COPA.
¡PERFECTO!
CROTCH!
CROTCH!

GLOUGLOUGLOUGLOUGL
¡OBELIX! ¡NO!

Y AHORA, CANT... ¡HIPS! CANTEMOS...
OYYELELEIT... HIPS!... LILIIIII

¡OBELIX!
¡PUES CLARO! VOSOTROS, LOS GALOS, VAIS DEMASIADO APRISA. ¡NOSOTROS ESTAMOS HORAS Y HORAS, PARA HACER LO QUE VUESTRO AMIGO HA HECHO EN UNOS SEGUNDOS!
BONG!
¡BRRRROUM!

¡OBELIX!
¡OBELIX!
¡HAY MUCHOS ROMANOS ATRAVESANDO EL LAGO!

¡HE DE IR A BUSCAR LA "ESTRELLA DE PLATA" ANTES DE QUE LLEGUEN!
¡OS AYUDAREMOS!

¡QUE ALGUNOS DE VOSOTROS SE QUEDEN AQUI PARA CONTENER A LOS ROMANOS! ¡ID A POR LA OLLA!
¿CONTENERLOS? ¡SON TAN NUMEROSOS...!

¡GLUB! ¡GLUB!
?!

QUEDA BASTANTE POCION MAGICA PARA DAROS LA FUERZA PARA CONTENERLOS.
¿POCION MAGICA?

¡HALA! ¡ENSEÑADME DONDE ESTA ESA FLOR!
¡ES QUE HAY UN PROBLEMA GORDO!

ES VUESTRO AMIGO... NO SE SI ESTA EN DISPOSICION DE ESCALAR UNA MONTAÑA. Y NO PODEIS DEJARLE AQUI. ES UNA CUESTION DE LIMPIEZA.

¡TENGO UNA IDEA! TRAED UNA CUERDA LARGA. NOS ATAREMOS TODOS Y TIRAREMOS DE OBELIX. ¡CON VUESTRA AYUDA Y LA POCION MAGICA, PODREMOS CONSEGUIRLO!

Y FUE ASI COMO, POCO DESPUES, NACIO UNA TECNICA QUE TODAVIA SE UTILIZA HOY DIA...
¡PUES NO ES NINGUNA COSA TONTA!
SI, PERO YO MAS BIEN HUBIERA ATADO LA CUERDA EN TORNO AL CUELLO.

¡TRAED EL QUESO! ¡TENDRA EL TIEMPO JUSTO DE FUNDIRSE ANTES DE QUE LLEGUEN LOS ROMANOS!

¡NO ESTA NADA MAL, ESTA "FONDUE" MAGICA!
¡LLEGAN LOS ROMANOS!
¡OBSEQUIEMOSLES CON UN PEQUEÑO HIMNO BELICO!

¡TIENEN ELEFANTES!
¡NO, IMBECIL! ¡ES QUE CANTAN!
¡CUANDO ESTUVE DE GUARNICION EN LAS GALIAS CONOCI A UN BARDO QUE TENIA UN TIPO DE VOZ PARECIDO!

POR ORDEN DE CAYO DIPLODOCUS, GOBERNADOR, REPRESENTANTE DE JULIO CESAR, DEJADNOS PASAR.
VUESTROS ASUNTOS NO NOS CONCIERNEN; QUEREMOS SEGUIR SIENDO NEUTRALES, PERO...

¡AL ATAQUEEE...!

¡PLAF!
TCHRRRAC!
¡GOLPEADNOS SI QUEREIS, PERO, AL MENOS, DEJAD QUE SEAMOS NOSOTROS QUIENES GRITEMOS!
¡BANG!

¡TCHAC!

¡BOK!

¿ME...ME GOLPEAIS Y DESPUES ME CUIDAIS...?
ES UNA VOCACION: SOCORREMOS A TODOS LOS BELIGERANTES, SEA CUAL SEA SU NACIONALIDAD.

Y MIENTRAS LA BATALLA SIGUE...
¡MIRAD ALLI! ¡ESOS QUE PERSEGUIMOS ESCALAN LA MONTAÑA! ¡VAMOS ALLA, MIENTRAS TODOS ESTAN OCUPADOS!
PAF!
BING!

NADAMOS EN EL LAGO, ESCALAMOS MONTAÑAS...
¿Y QUE? NO TE HABRIAS CREIDO QUE ESTABAMOS DE VACACIONES, ¿VERDAD?

¡YA ESTA! ¡YA TENGO UNO!

¡AYUDADME!
¡DEPRISA!
¡YA VAMOS!

¡TIRARE DE VOSOTROS HACIA MI!

¡EEEEEH!

¡TIRA DE EL HACIA NOSOTROS!
¡LO ESTOY PROBANDO!

¡TEN FUERTE Y NO LES PIERDAS DE VISTA! ¡VAMOS A DAR LA VUELTA A LA MONTAÑA, PARA PILLARLES POR RETAGUARDIA!

¡EH...! ¡NO ME DEJEIS CAER!

HMMM?
!!!

DORMID, DORMID.. TODO VA BIEN.
¡BFRRRRR!
40

TRES HORAS MAS TARDE...
¡EH, GALO! ¡MIRA, A TU DERECHA!

¡"LA ESTRELLA DE PLATA"!

¡NO LLEGO! ¡NECESITARIA OTRA ESPADA!
¿ALGUIEN TIENE UNA ESPADA?
¿ALGUIEN TIENE UNA ESPADA?

¿ALGUIEN TIENE UNA ESPADA?
¿HMPF?

YO TENGO UNA ESPADA, TOMADLA, PERO NO GRITEIS: PODRIA DESENCADENAR ALGO
¡GRACIAS!
¡HACEDLA PASAR!

¡OBELIX! ¡YA LA TENGO! ¡HEMOS TRIUNFADO!
¡ARRORRO CAYO BONITO, ARRORRO QUE TE DARE LACTUM*!
*LECHECITA, EN LATIN.

¡TREPEMOS! ¡LA CIMA ESTA MUY PROXIMA!

POCO DESPUES...

¿UN ROMANO?

¡SI, UN ROMANO! ¿Y QUE? HE TENIDO A VUESTRO AMIGO AGARRADO DE LA MANO, DURANTE ESTA PELIGROSA ESCALADA, ¿Y ENCIMA QUEREIS ARMAR JALEO?

NO TIENES MAS QUE BA-
JAR POR ESTA LADERA DE
LA MONTAÑA. TE CONDUCI-
RA HASTA TU PAIS.
SI, PERO OBELIX SIGUE
DURMIENDO. ME VOY A
VER OBLIGADO A RE-
MOLCARLE.

¡ADIOS, HELVECIOS! ¡JAMAS OL-
VIDARE LO QUE HABEIS HECHO
POR NOSOTROS, Y SE LO CONTA-
RE A CBELIX!

42A

¡EEEH!

¡AQUI
ESTAN!

¡ALTO, GALOS! ¡EN NOM-
BRE DEL GOBERNADOR DI-
PLODOCUS, REPRESENTAN-
TE DEL CESAR, ALTO!

¡APARTAOS!
42B

¿COMO VA ESO, CENTURION?
¡PSE! ¡CADA VEZ SIENTO MAS NOSTALGIA DE EGIPTO!

¡BONG!

¡PLOUF!
¡PLOUF!
43A

¡LA "ESTRELLA DE PLATA", OBELIX! ¡LA TENEMOS! ¡VOLVAMOS AL PUEBLO!
¡COMO! ¿ESTAMOS AUN EN EL AGUA?

ALGUNOS DIAS MAS TARDE...
¿Y COMO SE ENCUENTRA ESE POBRE CUESTOR SINUSITUS, OH, DRUIDA?

HE LOGRADO QUE SE FUERA MANTENIENDO, GOBERNADOR OJOALVIRUS.
¡QUE DESGRACIA QUE NO VUELVAN TUS HOMBRES! TE VAS A VER OBLIGADO A EJECUTARLO... EN FIN, LOS REHENES SON LOS REHENES...

¡YA ESTA A PUNTO!
¡MUY BIEN! DADLE DE BEBER LA INFUSION, AÑADIENDOLE ALGUNAS GOTAS DE POCION MAGICA.
¿QUE ES LO QUE ESTA A PUNTO?
43B

¡YO ESTOY A PUNTO!

CALMA, CALMA, CUESTOR SINUSITUS...

¡PAF!

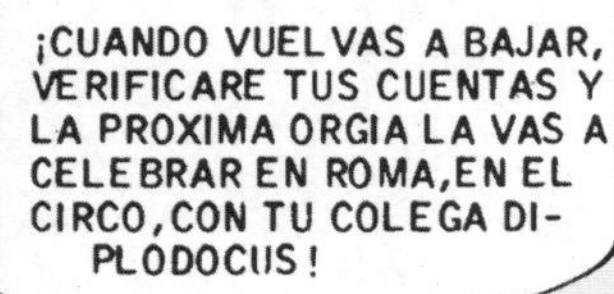
¡CUANDO VUELVAS A BAJAR, VERIFICARE TUS CUENTAS Y LA PROXIMA ORGIA LA VAS A CELEBRAR EN ROMA, EN EL CIRCO, CON TU COLEGA DIPLODOCUS!

ROMANO, TU HAS SIDO NUESTRO HUESPED Y NO NUESTRO REHEN. TE HAS CONVERTIDO EN NUESTRO AMIGO... ASI QUE, POR PRIMERA VEZ...
44A

...SI, POR PRIMERA VEZ, UN ROMANO ES INVITADO A PARTICIPAR EN UNO DE ESOS FESTINES QUE, TRADICIONALMENTE, CELEBRAN A LA VUELTA DE NUESTROS AMIGOS. DE NUESTROS AMIGOS, FELICES Y ORGULLOSOS, PORQUE SE DAN CUENTA DE QUE CADA VIAJE AUMENTA SU SABER Y EXPERIENCIA.
¿Y QUE, OBELIX? ¿QUE TAL RESULTA ESO DE HELVECIA?
LLANO.
Fin
UDERZO & GOSCINNY
44B

TCHAC!

¡ESTÁN LOCOS ESTOS ROMANOS!